TEXTO
Luis Barbeytia

ILUSTRACIONES
Mauricio Gómez Morin

Pakal

El gran rey maya de Palenque

Pakal
El gran rey maya de Palenque

Primera edición, 2017

Coedición:
CIDCLI, S.C.
Secretaría de Cultura
Dirección General de Publicaciones

D.R. © Luis Barbeytia, por el texto / D.R. © Mauricio Gómez Morin, por la ilustración

Diseño gráfico: Rogelio Rangel
Coordinación editorial: Elisa Castellanos
Cuidado de la edición: Paola Aguirre

D.R. © 2017, CIDCLI, S.C.
Av. México No. 145-601
Col. Del Carmen Coyoacán
C.P. 04100, Ciudad de México
www.cidcli.com

D.R. © 2017, de la presente edición
Secretaría de Cultura
Dirección General de Publicaciones
Avenida Paseo de la Reforma 175,
Col. Cuauhtémoc, C.P. 06500, Ciudad de México
www.cultura.gob.mx

Las características gráficas y tipográficas
de esta edición son propiedad de
CIDCLI, S.C.

ISBN: 978-607-8351-65-7 CIDCLI, S.C.
ISBN: 978-607-745-698-8 Secretaría de Cultura

Impreso en México / *Printed in Mexico*

Pakal
El gran rey maya de Palenque
se imprimió en los talleres de Pandora Impresores, S.A.,
Caña núm. 3657, colonia La Nogalera, C.P. 44470,
Guadalajara, Jalisco, México.
El tiraje fue de 3 500 ejemplares.

A Ilhan,
para que empiece
a interesarse

Presentación

Situada al pie de las altas montañas cubiertas de vegetación que forman la Sierra del Norte, frente a la gran planicie costera que se extiende en los límites de los actuales estados de Chiapas y Tabasco, en el sureste de México, la antigua ciudad de Palenque se yergue en medio de la jungla como una joya refulgente. Los edificios, las plazas, los templos, el Grupo de las Cruces, la torre del Palacio, la imponente pirámide del Templo de las Inscripciones se recortan de manera espectacular contra el fondo verde oscuro de la densa selva tropical.

Ahí reinó, a mediados del siglo VII de nuestra era, Kinich Janab Pakal II, llamado el Grande, sin duda el gobernante más célebre y notable del periodo Clásico maya (250-900 d. C.). Bajo su gobierno, Palenque alcanzó un periodo de inigualado esplendor, convirtiéndose en uno de los centros urbanos más importantes de las tierras bajas de la vasta región maya noroccidental.

Animado por un profundo conocimiento de sus tradiciones y de la historia de su gente, Pakal engrandeció su ciudad como ningún otro monarca, al tiempo que dejaba constancia de la magnificencia de su estirpe en inscripciones y monumentos de una belleza excepcional, proyectando para siempre hacia el futuro la grandeza de la nación maya.

El rey

CAPÍTULO I

Una infancia difícil

A principios del siglo VII de nuestra era, en la ciudad maya de Palenque (llamada entonces Lakamjá, "Lugar de las Grandes Aguas"), en lo que hoy es el estado de Chiapas, se vivía una época de inseguridad e incertidumbre. La ciudad había sufrido repetidos ataques por parte del señorío de Kan (actualmente Calakmul), cuya dinastía dominaba una amplia zona del sur de lo que hoy son los estados de Campeche y Quintana Roo, y la familia real se había visto obligada a huir, refugiándose en un reino vecino. Durante la última de sus incursiones, el 8 de agosto del año 612 de nuestra era, los atacantes habían acabado con la vida del rey de Palenque, el señor Ajen Yol Mat.

A principios de octubre de ese mismo año, accedió al trono de Palenque-Lakamjá un nuevo gobernante, el señor Muwaan Mat, que sólo reinó unos días. Es probable que entonces la familia real regresara a la ciudad. Poco tiempo después, sin embargo, Palenque sufrió un nuevo ataque. La ciudad fue incendiada y la familia real tuvo que abandonarla otra vez, y se dividió en dos facciones. Una de ellas, encabezada por un noble de nombre Ik' Muuy Muwaan, se dirigió hacia al este y estableció su nueva capital en un sitio llamado hoy Tortuguero, en Tabasco. Ik' Muuy Muwaan, que llevaba con él a su hijo, Balam Ajau, recién nacido, se proclamó el legítimo heredero del linaje palencano.

Desafiando el peligro, la otra facción de la familia real, al mando de la señora Sak Kuk, sobrina del rey asesinado, Ajen Yol Mat, regresó a Palenque para intentar restablecer el poderío dinástico de la capital del señorío. Desde entonces fueron frecuentes la rivalidad y los enfrentamientos entre las dos facciones de la dinastía, Tortuguero y Palenque-Lakamjá.

El 22 de octubre del año 612 la señora Sak Kuk ascendió al trono. Eran tiempos delicados. Aunque no existe un registro preciso de lo que sucedió, podemos suponer que el reinado de la señora Sak Kuk (cuyo nombre significa Quetzal Blanco o Resplandeciente), no fue fácil. Era hija del señor Pakal, hermano del rey Ajen Yol Mat, que había fallecido algunos meses antes que el monarca, probablemente también asesinado. Y aunque Sak Kuk era de sangre real, seguramente varios nobles palencanos que se sentían con derecho a ocupar el trono conspiraron para neutralizarla y hacerse con el poder. La reina debe haber sido, sin duda, una consumada política, capaz de manipular los intereses de los hombres de la corte, impidiendo al mismo tiempo que los grupos rivales y los enemigos externos se impusieran y, muy probablemente con la ayuda de su esposo, llamado Kan Mo' Hix, consiguió mantener a raya a aquellos que pretendían reinar.

Una situación semejante, por cierto, había ya sucedido. La abuela de Sak Kuk, llamada Yohl Ik'nal (Señora Corazón del Maíz), había reinado en Palenque 29 años antes que Sak Kuk (del año 583 al 604), una época en la que la ciudad se vio continuamente amenazada. Yohl Ik'nal ocupó el trono a la muerte de su padre, el señor Kan Balam I, que murió sin un heredero masculino. La reina tuvo dos hijos, Ajen Yol Mat (rey del año 605 al 612), quien también murió sin descendencia, y Pakal I, padre de Sak Kuk, que no llegó a gobernar porque, como hemos dicho, murió algunos meses antes que su hermano.

Por complicado que esto parezca, hay que tener en cuenta que para los antiguos mayas (como para muchos otros pueblos), el derecho a ocupar el trono —una cuestión de la mayor importancia— correspondía de manera exclusiva a los hombres. El poder se transmitía de padre a hijo; las mujeres no tenían, en principio, ninguna posibilidad de gobernar. Por esto resulta tan notable que no sólo la madre de Pakal haya podido ser reina, sino también su bisabuela, lo cual quiere decir que en un lapso relativamente breve (poco más de 30 años), en el señorío de Palenque la línea paterna de sucesión al trono se rompió, no una sino dos veces.

La señora Sak Kuk reinó durante tres años, tiempo que aprovechó para preparar la coronación de su hijo primogénito, llamado Pakal (Escudo), como su abuelo, que entonces contaba sólo con nueve años de edad.

Rey a los doce años

Pakal II o, como también se le conoce, Pakal el Grande, nació el día 23 de marzo del año 603, probablemente en el exilio, durante el tiempo en que su familia tuvo que esconderse de sus perseguidores, lejos de Palenque. Era hijo del señor Kan Mo' Hix, un noble de jerarquía inferior sin derecho a reinar, pero que siempre supo estar cerca de su hijo, apoyándolo y alentándolo con sus consejos.

No obstante las dificultades que rodearon la vida de
Pakal durante sus primeros años, el príncipe debió
recibir, sin duda, una esmerada educación, pues a lo
largo de su extenso reinado siempre dio muestras de
una excepcional capacidad organizativa, un profundo
conocimiento de la religión, la mitología, el arte, la
historia, la arquitectura, las matemáticas, la astronomía
y la literatura mayas, así como de grandes dotes gue-
rreras y diplomáticas y un refinado sentido estético.

Antes de cumplir los tres años, el niño había sido
sometido a la práctica estética usual entre los miembros
de la nobleza maya, que consistía en la deformación del
cráneo mediante la aplicación de placas de madera en
la frente y la parte posterior de la cabeza, fuertemente
sujetadas, a fin de darle una notoria forma oblicua.

El 26 de julio del año 615, en una solemne ceremonia
llevada a cabo en el Palacio real, frente a todo el pueblo
reunido en la Gran Plaza de la ciudad, la señora Sak
Kuk entronizó al joven Kinich Janab Pakal (Escudo Solar
—o Escudo Radiante— Ave Janab, su nuevo nombre,
relacionado con el dios Sol y con un
animal mítico: el ave Janab) como
rey de Palenque. Dada la extrema
juventud del monarca, es probable
que la reina haya seguido al frente
del gobierno hasta que su hijo tuvo
la edad suficiente para hacerse cargo
plenamente de los asuntos del reino.

Algunos epigrafistas* traducen
el nombre Kinich Janab Pakal como
"Escudo Ave Janab de Rostro Solar".

---

* **Epigrafista**. Persona que se dedica
al estudio de las inscripciones.

En esa época deben haber proce-
dido a limarle los dientes (a diferencia de otros nobles palencanos,
que se limaban o mutilaban varias piezas dentarias, Pakal sólo tenía
limados los dos dientes incisivos superiores). Y tal vez también entonces le marcaron el rostro con incisiones que dejarían luego cicatrices
(o escarificaciones, como también se les llama), una especie de
tatuaje facial para realzar su belleza, como era común entre los ado-
lescentes, hombres y mujeres, durante el periodo Clásico maya.

De la misma sustancia que los dioses

L a ascensión al trono del joven monarca constituía un desafío pues, como hemos visto, violaba las normas establecidas que ordenaban que el heredero debía recibir el poder de su padre, y la legitimidad de Pakal procedía del lado femenino de su familia.

Con los años el rey, que seguramente enfrentó muchas resistencias, justificaría este hecho identificando a su madre con la diosa primordial, la Madre mítica que en el origen del universo actual engendró a los tres dioses principales de la religión maya. Pakal proclamaba así que su madre y él eran de estirpe divina y que el hecho de haber heredado el trono de ella en realidad sólo reproducía los actos fundadores de los dioses en la creación del mundo.

Haciendo un "elegante e imaginativo uso de la mitología" —como dice la investigadora estadounidense Linda Schele, una de las primeras personas que pudo leer los glifos mayas—, el rey modificó las reglas del orden social y político maya; dejó claro de una vez por todas que su derecho a gobernar era un mandato supremo y estableció que la transmisión directa del poder por línea materna era tan legítima como por la vía masculina, lo cual constituía una verdadera revolución.

Y para que no hubiera dudas, afirmó, además, que su fecha de nacimiento reproducía exactamente las características astronómicas y astrológicas del día en que nació la Diosa-Madre: Marte se encontraba en el mismo punto en el cielo y lo regía el mismo Señor de la Noche, igual que en aquella fecha mítica. De este modo quería dejar constancia de que él, rey humano, estaba hecho de la misma sustancia que los dioses. Y como dice la investigadora que mencionamos antes: ¿Quién podría no estar de acuerdo con un hecho que recreaba las condiciones en que se creó el universo actual?

La Tríada Divina
Los mayas creían en tres dioses principales: el dios celeste, el Primer Padre, que levantó los cielos y estableció el lugar donde viviría el pueblo maya, llamado por los especialistas GI (o DI; la G proviene de la palabra *God*, que en inglés quiere decir "dios"); el dios terrestre, Unen Kawil, llamado GII (o DII); y el dios del mundo subterráneo, GIII, o Sol Jaguar del Inframundo.

Rey y señor de Palenque

En el año 626 —once después de la coronación de Pakal, que entonces tenía veintitrés años—, llegó a Palenque-Lakamjá una joven procedente de un señorío vecino aliado de Palenque, para casarse con el rey. Se llamaba Ix Tzak-bu Ajau (Señora de la Sucesión). El 20 de mayo del 635 nació su primogénito, Kan Balam (Serpiente Jaguar), quien con el tiempo heredaría el trono de su padre. A lo largo de los siguientes trece años Pakal y la reina tuvieron tres hijos más, aunque algunos investigadores dicen que fueron cinco.

Invocación de los antepasados

Aunque no se conservan datos precisos de los ritos que se celebraban en Palenque, existe una abundante información que nos permite reconstruir cómo pudieron haber sido las ceremonias de autosacrificio mediante las cuales los monarcas buscaban comunicarse con el mundo sobrenatural.

En la oscuridad de la cámara interior del templo, quizás en los Subterráneos del Palacio, alumbrados tan sólo por algunas antorchas, Pakal, acompañado de su esposa, ambos con atavíos de gala, se disponen a invocar a los dioses y a sus antepasados para pedirles inspiración y consejo, o quizá para agradecer el triunfo obtenido sobre sus enemigos, o tal vez para dar gracias por el nacimiento de su primogénito. Provisto de una afilada aguja hecha de espina de mantarraya, el soberano se hiere él mismo cerca del muslo y

deja caer algunas gotas en una vasija repleta de tiras de papel que enseguida quema junto con algunas resinas aromáticas. El humo que asciende de los papeles empapados en su sangre constituye el alimento de los dioses y el elemento esencial para entrar en contacto con ellos. Al elevarse, las volutas han tomado la forma de una enorme serpiente de cuyas fauces emerge el rostro del dios o del antepasado divinizado.

La reina, por su parte, se ha herido en la lengua con una navaja de obsidiana y recoge su sangre en otra vasija, que quema también para acceder a la visión del dios.

Los mayas suponían que durante estos trances, conocidos como la "Visión de la Serpiente", los reyes se comunicaban con sus antepasados míticos y de esta manera conocían su voluntad y lo que les aconsejaban hacer en beneficio de su reino y de su pueblo.

Hacia el año 633, Pakal restableció las ceremonias conmemorativas en honor de los dioses patronos de Palenque, que se celebraban al final de cada periodo de 20 años, llamado *katún* en el calendario maya, y que eran de la mayor importancia. Los mayas pensaban que cada ciclo de 20 años estaba regido por un dios particular y que, según las características y atributos de cada deidad, esos periodos podían ser favorables o adversos.

Cuando Pakal tenía 37 años, en el año 640, murió la señora Sak Kuk y dos años más tarde falleció también su padre. Ambos fueron sepultados en el magnífico edificio conocido como el Templo Olvidado, que Pakal ordenó edificar en las afueras de la ciudad para conmemorar y honrar a sus progenitores. A partir de esa fecha, el rey dio inicio a una profunda transformación de la ciudad.

Los rituales y conmemoraciones colectivas, celebradas en presencia de todo el pueblo, reafirmaban los vínculos entre el gobernante y sus súbditos, garantizando la seguridad y la permanencia del señorío.

Con la construcción del Templo Olvidado, los arquitectos de Pakal iniciaron un nuevo tipo de edificio que habría de transformar radicalmente la arquitectura palencana, dándole su sello característico. Se trata de un edificio de paredes verticales con una entrada al frente dividida por varias pilastras decoradas con figuras de estuco, que da a un amplio espacio interior, fresco y bien iluminado; el techo, formado por una bóveda falsa, estaba rematado por una crestería* de piedras ahuecadas, muy probablemente también decoradas con figuras de estuco.

---

* **Cristería**. Remate calado que corona la parte superior de los edificios.

Cinco Casas
en el Edificio
Escalonado

Palenque mantenía una tensa rivalidad con algunos señoríos vecinos. El 6 de febrero del año 644 subió al trono de Tortuguero, Balam Ajau (Señor Jaguar), hijo de Ik Muuy Muwaan, que años antes se había proclamado heredero legítimo de la dinastía palencana. Cuatro meses después, el 1 de junio, Balam Ajau atacó la población de donde era originaria la esposa de Pakal, Ix Tzak-bu Ajau, un sitio conocido como Lugar de los Dioses del Árbol, en represalia por el apoyo que sus habitantes habían dado a Palenque. Los conflictos en la región se agudizaron. Durante los años siguientes Balam Ajau atacó varias ciudades aliadas de Pakal, tratando de socavar su dominio.

No obstante estos conflictos, Pakal consiguió preservar su reino, afianzó su poder e inició una época de prosperidad y crecimiento como no se había conocido antes. Hacia el año 650, durante la cuarta década de su reinado, el rey emprendió una intensa actividad constructiva que duraría más de treinta años y que transformaría radicalmente la fisonomía de Palenque. Hizo construir templos y otros recintos. Ordenó que los antiguos edificios del Palacio fueran cubiertos por una amplia plataforma y sobre ella mandó erigir cinco nuevas edificaciones.

En una de estas edificaciones, conocida ahora como la Casa E, Pakal dispuso que se celebraran las ceremonias de entronización de los futuros reyes, y ordenó colocar ahí la célebre Lápida Oval, escultura que aún se conserva y que representa su ascensión como rey de Palenque cuando, sentado en el trono con forma de jaguar de dos cabezas, recibió las insignias de mando, el cetro y la diadema, de manos de su madre, la reina Sak Kuk. La Casa E se asoció con el Monstruo Cósmico, una poderosa deidad del cielo nocturno, patrona y protectora de los gobernantes de la ciudad.

Debido a la intensa actividad constructiva desplegada por Pakal durante estos años, algún gobernante posterior se refirió a él como "El de las Cinco Casas del Edificio Escalonado" (el Palacio).

Los mayas del periodo Clásico (250-900 d. C.) concebían sus ciudades como representaciones del cosmos y orientaban sus edificios de acuerdo con las cuatro direcciones del universo unidas por un eje central que comunicaba los tres niveles cósmicos: el cielo, la tierra y el inframundo. Además, buscaban edificar sus monumentos en lugares cercanos a montañas, cuevas y pozos u otras fuentes de agua, a los que personificaban y divinizaban, pues pensaban que en ellos moraban los dioses, los antepasados y los seres sobrenaturales, protectores de la comunidad.

Pakal erigió monumentos donde exaltaba y rendía homenaje a la creación del cosmos y a la vez a la fundación de la dinastía real. Los textos que él, y más tarde su hijo Kan Balam, ordenaron esculpir, representan la crónica más detallada que ha sobrevivido de los mayas del periodo Clásico. De acuerdo con estas inscripciones, la historia dinástica de Palenque comenzó el día 11 de marzo del año 431 antes de nuestra era, fecha en que el señor Balam Kuk (Jaguar-Quetzal), un antepasado mítico, se convirtió en rey. La línea de sucesión real prosigue a lo largo de más de 1000 años, durante trece generaciones.

En el año 655 Balam Ajau atacó de nuevo la población natal de la mujer de Pakal. Cuatro años más tarde, en el verano del 659, Pakal emprendió una guerra contra las ciudades aliadas de Kan-Calakmul, en la región oriental. Encomendándose a los dioses de la guerra, el rey, a la cabeza de su ejército, penetró en la zona del Bajo Usumacinta, atravesó los señoríos de Pomoná y Piedras Negras, llegó hasta las riberas del río San Pedro y atacó la ciudad de Santa Elena.

Tras algunos combates, el 7 de agosto del 659 fueron capturados los señores Un'n U Jol Chaank y Ahiin Chan Ahk, gobernantes de los señoríos de Santa Elena y Pomoná. Pakal ordenó decorar la fachada de la nueva Casa C con representaciones de los prisioneros. Una semana después de su aprehensión, los cautivos llegaron a Palenque y fueron sacrificados al terrible dios Kawil. Los mayas creían que los dioses se comían a las víctimas del sacrificio; representaciones en vasos pintados y en hermosos incensarios de barro (los dioses-incensario de Kawil) lo corroboran.

Pakal festejó su triunfo con grandes celebraciones. Gracias a esta victoria, consolidó su poder en toda la zona situada al sur del río Usumacinta.

El rey impuso tributos a las ciudades vencidas y aprovechó la época de paz para impulsar, aún más, el engrandecimiento de su ciudad.

Dos años después, en el 661, inauguró otra construcción, la Casa C del Palacio, cuyo nombre original fue La Casa del Cielo, que dedicó a las deidades patronas de la guerra.

El rostro de la muerte

Los años siguientes fueron de prosperidad y abundancia. El 28 de junio del año 672 de nuestra era, sin embargo, concluyó otro *katún*, el 10 Ajau, y el Señor del Rostro de la Muerte, Ich Cham Ajau, pasó a regir el nuevo periodo de 20 años, el nuevo *katún*. Esta época resultó nefasta para el señorío de Palenque. Guerras y severas sequías azotaron la región y varios miembros de la familia real murieron durante este periodo.

El 13 de noviembre del 672 murió Ix Tzak-bu Ajau, la esposa de Pakal. La reina fue sepultada en la cámara central del llamado Templo XIII, donde hace algunos años se descubrió su sepulcro. Se trata de un sarcófago monumental tallado en un solo bloque de piedra caliza, en cuyo interior se encontró el esqueleto de una mujer, con restos de joyas de jadeíta y adornos de concha nácar, totalmente cubierto de cinabrio (un pigmento hecho de un mineral de color rojo intenso, muy usado entre los pueblos de Mesoamérica para sus ritos funerarios), por lo que desde entonces se le dio el nombre de la Reina Roja.

Consciente de que su fin se acercaba, Pakal mandó construir un imponente edificio para perpetuar su memoria y la de sus antepasados, un templo que albergaría su tumba y que se conoce como el Templo de las Inscripciones. Durante cerca de diez años, arquitectos, escultores, escribas, canteros, carpinteros, albañiles y esclavos se afanaron en su construcción. En los tableros del edificio, el rey mandó esculpir una extensa crónica que abarca los reinados de siete de sus antecesores a lo largo de 183 años, desde el año 500 hasta su propia época.

Los especialistas que ahora pueden leer las inscripciones que el rey ordenó trazar en los muros del edificio, dicen que Pakal era un gran narrador y que en sus textos introdujo fórmulas y expresiones literarias que antes nadie había utilizado. Pakal enlazó sucesos míticos, ocurridos en el principio de los tiempos, con acontecimientos de su reinado y proyectó hacia el futuro hechos y disposiciones que deberían acatar sus sucesores.

En los corredores de este magnífico templo, Pakal ordenó inscribir, en tres grandes tableros de piedra, el nombre de los reyes que lo habían precedido y las fechas en que habían ascendido al trono.

Pakal, sin duda, confiaba en su inmortalidad. Dejó escrito, por ejemplo, que su ascensión al trono se conmemoraría ocho días después de que concluyera el primer ciclo de ocho mil años de la era actual en el calendario maya, una fecha que en nuestro calendario corresponde al ¡22 de octubre del año 4772!

Después, en su tumba, en el interior del templo, Pakal registró las fechas de muerte de esos mismos reyes. Finalmente, en los cuatro costados del enorme sarcófago tallado que le preparaban, mandó esculpir sus imágenes, cada rey asociado con un árbol frutal (como para indicar que sus vidas habían sido fuente de vida para el pueblo). Aparecen ahí retratados, entre otros monarcas, su bisabuela, la reina Yohl Ik'nal; su madre, la señora Sak Kuk; e incluso su padre, Kan Mo' Hix que, aunque nunca reinó, Pakal quiso incluirlo para reafirmar su legitimidad.

Kinich Pakal, el Escudo Radiante de Palenque, cayó enfermo el 31 de julio y murió el 28 de agosto del año 683. Tenía ochenta años de edad. Según sus disposiciones, fue sepultado en el sarcófago de la cámara interior del templo que había mandado erigir.

Presidió los ritos funerarios —el descenso a la sepultura, el entierro, los sacrificios ceremoniales y el cerramiento de la cripta— su hijo Kinich Kan Balam II (Radiante Serpiente Jaguar), que lo sucedería en el trono, y que llamó a la tumba de su padre "La Casa de los Nueve Acompañantes", en alusión a las deidades que regían cada uno de los nueve niveles del inframundo, según la cosmología maya.

El nuevo rey gobernó durante dieciocho años y prosiguió la labor de engrandecimiento de la ciudad y la historia de su linaje.

La escritura maya

Si ahora conocemos la historia de Pakal y de su pueblo es gracias al trabajo de muchos sabios e investigadores que a lo largo de los años se han dedicado al estudio de la cultura, el arte, la historia y la escritura de los mayas.

Especialistas de muchas nacionalidades: alemanes, daneses, rusos, estadounidenses, franceses, ingleses y, desde luego, mexicanos, han contribuido con sus aportaciones y sus descubrimientos al conocimiento de una de las culturas antiguas más notables e importantes del mundo.

Los mayas fueron extraordinarios astrónomos, matemáticos, arquitectos, escultores, pintores, historiadores, literatos. La profundidad de sus conocimientos y la belleza de sus creaciones continúan sorprendiéndonos.

Aunque en cierto modo ya había sido divinizado en vida por su pueblo, al morir el rey se convertía en un igual de los dioses celestes. No es de extrañar pues que los funerales de Pakal, que gozaba de un prestigio excepcional entre los suyos, hayan significado un acontecimiento fundamental en la vida de los palencanos. Pakal II el Grande no sólo había restablecido la estabilidad política y social de su reino tras un largo periodo de crisis y guerras que había puesto en peligro la continuidad del señorío y de la dinastía, y con ello la libertad de Palenque, sino que había renovado el compromiso de la ciudad con los dioses tutelares, reactivando los ritos colectivos e identificando sus actos con la restauración del orden del mundo. Al hacerlo, consiguió infundir en su pueblo la convicción de que había llegado una época nueva y que su permanencia, sepultado en el interior del monumental Templo de las Inscripciones, mantendría el vínculo con sus descendientes vivos, protegiéndolos y guiándolos en el porvenir.

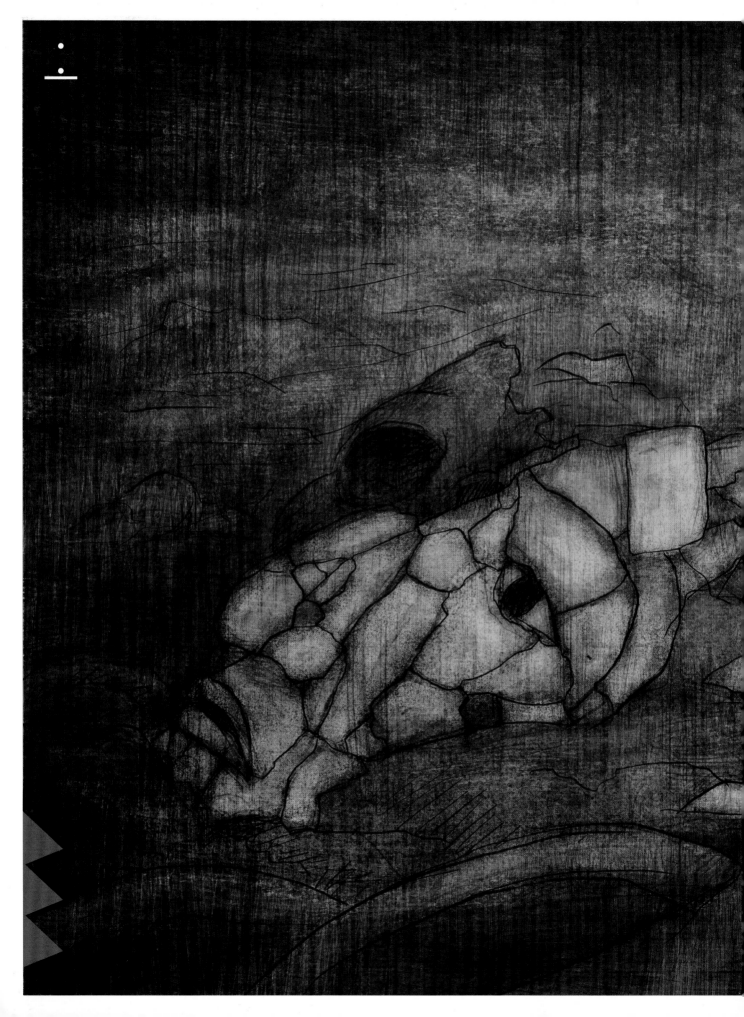

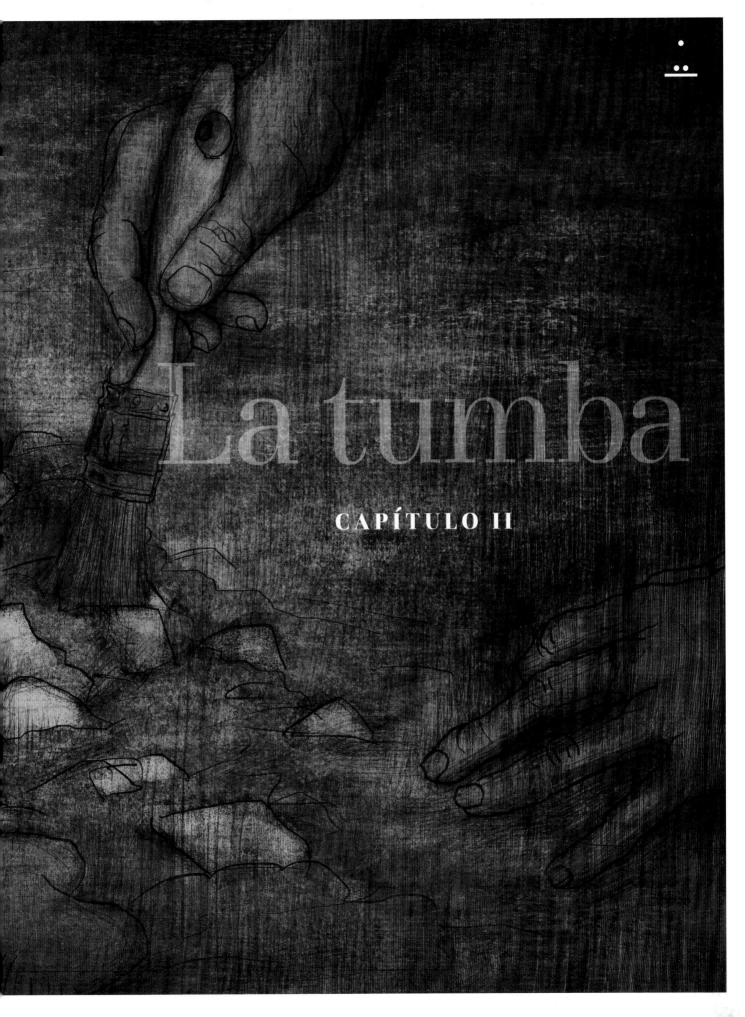

La tumba

CAPÍTULO II

Una joya en medio
de la selva

La magia de Palenque ha cautivado la imaginación de exploradores y aventureros de todo el mundo desde finales del siglo XVIII. Los primeros en "descubrir" la ciudad, abandonada hacía casi 800 años, fueron funcionarios españoles comisionados por las autoridades de la Corona española, que habían tenido noticias de la existencia de "casas y como palacios" cerca del pueblo de Santo Domingo de Palenque, en el actual estado de Chiapas, dependiente entonces de la Capitanía de Guatemala. Los visitantes hicieron mapas, planos y dibujos de las ruinas que ahora están en los archivos de Sevilla y Madrid. En 1822 se publicó un libro con estos dibujos y desde ese momento la fascinación que han ejercido los monumentos y esculturas de la antigua ciudad de Pakal no ha hecho sino crecer.

La primera visita de un europeo a Palenque fue la del misionero español fray Pedro Lorenzo de la Nada, en 1567. En aquel tiempo la región era conocida por los nativos como Otulum, o "Tierra de Casas Fuertes", por lo cual el fraile lo tradujo como "Palenque" (palabra proveniente del catalán *palenc*) que significa, entre otras cosas, "empalizada" o "fortificación". La ciudad estaba ya abandonada cuando ocurrió la Conquista de México en el siglo XVI.

A lo largo de todo el siglo XIX y la primera mitad del XX, numerosos exploradores y estudiosos visitaron el sitio. Estudiosos europeos y estadounidenses, fundamentalmente, atraídos por la belleza de los monumentos y esculturas e intrigados por el misterio de sus glifos, hicieron excavaciones, tomaron fotografías y recolectaron algunas piezas para exhibirlas en diferentes museos del mundo.

Entre 1832 y 1881 llegaron a Palenque numerosos viajeros y exploradores, cuyos comentarios y descripciones estimularon enormemente el interés por el sitio. En 1841, el estadounidense John Lloyd Stephens publicó *Incidentes de viaje en Centroamérica, Chiapas y Yucatán*, con ilustraciones del dibujante inglés Frederick Catherwood. El libro gozó de inmensa popularidad en su época y atrajo la atención internacional.

En 1858, el fotógrafo francés Désiré Charnay tomó las primeras fotografías de la zona. Más tarde, en 1890, el explorador británico Alfred P. Maudslay se instaló en Palenque durante dos años y tomó numerosas fotografías de las obras de arte y de las inscripciones, haciendo después moldes de los glifos. Sus trabajos marcaron el inicio de los estudios científicos en la zona.

En 1923, el arqueólogo danés Frans Blom hizo excavaciones en distintos edificios de la ciudad. Llevó a cabo el reconocimiento más amplio realizado hasta entonces en el sitio y logró recuperar varias piezas de estuco y fragmentos de tableros y lápidas de piedra que estaban dispersas. Blom propuso la creación de un museo de sitio donde estas piezas y las que en el futuro se encontraran pudieran ser resguardadas y exhibidas.

Desde aquel tiempo han proseguido las exploraciones y se han sucedido los hallazgos. Sin embargo, los especialistas creen que no se ha excavado ni el 20 % de la superficie total que ocupó la ciudad en la época de su esplendor. Se calcula que en la zona aún existen más de 1000 estructuras cubiertas por la selva.

El rey revela sus secretos

 fines de marzo de 1949, más de 1200 años después del entierro de Pakal (1265 años para ser exactos), el arqueólogo mexicano Alberto Ruz Lhuillier comenzó a excavar el Templo de las Inscripciones en busca, según cuenta él mismo, de un templo más antiguo situado debajo del que ahora existe, como ocurre con frecuencia en los monumentos del México antiguo.

Tras darse cuenta de que el piso de la cámara central no era de estuco —como ocurría en la mayoría de los otros monumentos de Palenque—, sino que estaba formado por grandes losas de piedra muy bien talladas y ajustadas, el arqueólogo observó que una de las losas se distinguía porque tenía una serie doble de agujeros cerrados con tapones de piedra, además de que los muros del templo parecían prolongarse debajo del pavimento. Ruz Lhuillier pensó que existía una construcción bajo el piso.

Se iniciaron las excavaciones y pronto apareció una piedra que servía de cerradura a una bóveda; debajo había un escalón, después otro y otros más. ¡El arqueólogo había descubierto una escalinata interior cuyo techo era, precisamente, la losa agujerada en el piso del templo!

Las paredes y la bóveda por las que descendía la escalinata estaban perfectamente conservadas, pero habían sido rellenadas con tierra y piedras, acumuladas intencionalmente para cerrar el paso. Hicieron falta cuatro temporadas de excavaciones, cada temporada con una duración de dos meses y medio de trabajo, para poder retirar la tierra y las piedras que cegaban la bóveda. La escalinata descendía 45 escalones, hasta un rellano en forma de U, luego giraba y continuaba otros 21 escalones, que conducían a un corredor situado 22 metros abajo del piso del templo, es decir, casi al mismo nivel que el suelo de la Gran Plaza. Al principio de la escalinata se encontraba una pequeña ofrenda, y al fondo otra ofrenda más importante conteniendo vasijas de barro, varios objetos de jadeíta, algunas conchas pintadas de color rojo y una hermosa perla.

"Volvimos la mirada hacia el pasado, despejamos la selva y nos imaginamos cada edificio perfecto, con sus terrazas y pirámides, con sus ornamentos esculpidos y pintados, grandiosos e imponentes, dominando una inmensa llanura habitada... Hicimos volver a la vida al extraño pueblo que nos contemplaba con tristeza desde los muros... Nos los imaginamos, en fantásticos vestidos y adornados con penachos de plumas, subiendo las terrazas del palacio y por las gradas que conducen a los templos; y a menudo nos imaginamos una escena de única y esplendorosa magnificencia".

John L. Stephens, *Incidentes de viaje en Centroamérica, Chipas y Yucatán.*

El Templo de las Inscripciones, obra maestra de la arquitectura clásica maya, está emplazado sobre una pirámide compuesta por nueve cuerpos de forma escalonada (como los nueve estratos del mundo inferior) que alcanza los 25 metros de altura aproximadamente. Una estrecha y empinada escalera conduce a la plataforma superior. El Templo consta de un pórtico formado por cinco entradas que se abren a una galería con una cámara central y dos laterales. En el interior hay tres grandes tableros empotrados cubiertos por más de 600 glifos (los que en su tiempo mandó colocar Pakal, con la historia de la dinastía palencana), a los que el monumento debe su nombre.

Cuando terminaron de retirar el relleno del fondo del corredor vieron que en el lado norte de la bóveda estaba empotrada, dentro de una cavidad abierta especialmente para ello, una gran lápida de forma triangular colocada verticalmente, que impedía el paso. Al pie de la piedra los arqueólogos encontraron los restos de seis jóvenes, entre ellos una mujer, que habían sido sacrificados; el cráneo artificialmente deformado y las incrustaciones dentales indicaban que se trataba de nobles y no de esclavos. Su presencia a la entrada de una cámara cerrada anunciaba algo de la mayor importancia, pues por lo general se sacrificaba a algunos súbditos de un gran personaje muerto, para que lo acompañaran en su viaje al más allá.

El domingo 15 de junio de 1952, Ruz hizo girar la gran lápida triangular y él y su equipo pudieron finalmente entrar. "El instante en que crucé el umbral fue para mí de una intensa emoción —escribió Ruz más tarde—. Tuve la extraña sensación de penetrar en el tiempo, en un tiempo que se había detenido mil años antes… Nada se había movido ni nadie había entrado, y mis ojos fueron los primeros en contemplar lo mismo que hacía siglos había visto el último sacerdote maya al retirarse… Me encontré en una espaciosa cripta con relieves de estuco en los muros que parecían tallados en el hielo, pues estaban recubiertos de una brillante capa calcárea. El suelo brillaba como la nieve. ¡Era fantástico, como un cuento de hadas! Delgadas estalactitas pendían del techo como un cortinaje, y enormes estalagmitas que se alzaban del suelo eran como grandes cirios apagados en una capilla a oscuras". Estas formaciones calcáreas eran producto de la filtración del agua de lluvia a través de la pirámide durante más de mil años.

La cripta a la que ingresó Ruz Lhuillier medía cerca de 7 metros de largo por 3.75 de ancho, y la bóveda se elevaba a casi 7 metros de altura. Estaba tan perfectamente construida que el paso de los siglos no había afectado su estabilidad, aunque la cripta soporta el peso de la pirámide y del templo construidos arriba. Lo más impresionante de la cripta, sin embargo, era el enorme monumento de piedra que se encontraba en su centro y que ocupaba casi todo el espacio. Se trataba de una gran lápida esculpida de 3.80 por 2.20 metros, de 25 centímetros de espesor, con espléndidos bajorrelieves esculpidos en la parte superior y por los cuatro costados, que reposaba sobre un bloque monolítico de dimensiones parecidas y de casi un metro de altura, también esculpido en sus costados.

Podía tratarse de un altar, conservado en un lugar secreto para efectuar ceremonias lejos de la vista del pueblo, pero Ruz quiso averiguar si el enorme bloque monolítico que sostenía la lápida era macizo o si estaba hueco y, en ese caso, si contenía algo. La tarea no era fácil, porque la lápida debía pesar cerca de 5 toneladas, no había espacio para introducir maquinaria y la posibilidad de que la gran piedra se rompiera era muy grande. A fin de cerciorarse, Ruz hizo perforar el bloque hacia su centro, en las partes que no estaban esculpidas. La perforación, hecha con muchísimo cuidado dio, después de dos intentos, con un hueco en el que introdujeron un alambre que salió con restos de pintura roja. ¡Algo había ahí!

Todo hace suponer que el Templo de las Inscripciones está construido sobre un manantial. Trabajos arqueológicos recientes descubrieron, bajo el piso del monumento, muy cerca de la cripta de Pakal, una compleja red de canales excavada en la roca con el propósito, aparentemente, de que el agua que aún corre a través de ellos guiara al rey a encontrar su camino hacia el inframundo. Este hallazgo confirmaría la relación que en el pensamiento maya el agua —origen y fin de la vida— tiene con la muerte. El par de orejeras del ajuar funerario de Pakal, por ejemplo, contiene un glifo que los especialistas no habían logrado descifrar y que según las últimas interpretaciones narra cómo para ser recibido por el dios del inframundo, el rey debía sumergirse en las aguas del dios Chaac, la deidad acuática de los mayas. Mediante el empleo de robots equipados con cámaras de videograbación, que se introducirán en el sistema de canales subterráneos de difícil acceso, se espera obtener nueva información.

La tumba real

El arqueólogo estaba convencido de que había que remover la enorme lápida para ver lo que se ocultaba en el interior del bloque debajo de ella. Después de mucho pensarlo se le ocurrió una solución. Mandó cortar el tronco de un grueso árbol en varias secciones de distintas alturas y ordenó que sobre cuatro de estas secciones se colocaran gatos de camión, que situaron en las esquinas de la lápida; enseguida interpusieron entre éstas y los gatos unas tablas, para que el metal no dañara la piedra y con ello lograr que la presión se ejerciera no sólo en las esquinas sino repartida a lo largo de los bordes, disminuyendo así el riesgo de que la lápida se pudiera romper al levantarla.

Una casa para la eternidad

Pakal ordenó cavar en la ladera del cerro
que limita la Gran Plaza de Palenque
por su lado norte, un pozo para extraer
un enorme bloque de piedra caliza, que
debía ser su sarcófago. En los costados
de esta gran piedra mandó tallar las imágenes de siete de sus antepasados, los
reyes que habían gobernado en Palenque
antes que él, todos ricamente ataviados
y rodeados de plantas estilizadas. En la
parte superior de este monolito ordenó
que excavaran una cavidad en forma de
útero, que sería su sepulcro. Para cubrir
el sarcófago, el rey mandó tallar en otra
piedra, de forma rectangular, una escena
que representaba su caída en las fauces
de la tierra (es decir, en la muerte) y su
resurrección, simbolizada por el hecho
de que de su cuerpo se levanta un árbol
en forma de cruz (estilización de la
planta del maíz), en cuya parte superior
se posa un quetzal, pájaro sagrado para
los mayas, representación del cielo y el
sol, con el rostro cubierto por una máscara del dios de la lluvia. Como el grano
de maíz que cae en la tierra para renacer,
o como el sol, que renace cada día por
el oriente, el rey volvería a la vida después de haber atravesado el oscuro reino
de Xibalbá, el inframundo de los mayas,
y de triunfar sobre los Señores de la
Muerte, como se narra en el *Popol Vuh*.

Según otra interpretación, en la lápida
de su sepulcro Pakal aparece representado como el dios Kawil, deidad con una
pierna en forma de serpiente, patrono
de los linajes, las ofrendas de sangre, las
semillas, la fertilidad y la germinación.
El rey surge de las fauces de una serpiente
descarnada y porta una antorcha encen-
dida. El ave que se posa sobre el árbol en
forma de cruz es el dios Itzamnaaj, bajo
su aspecto de ave, símbolo del cielo.

El 27 de noviembre de 1952, a las 6 de la mañana, comenzaron
los trabajos. Haciendo girar simultáneamente los engranajes de los
cuatro gatos, consiguieron separar la gruesa lápida del bloque que la
sostenía. A medida que la lápida se alzaba, introducían pedazos de
madera apuntalándola para que, si alguno de los gatos fallaba, la lápida quedara asentada. Durante 24 horas seguidas laboraron dentro
de la cripta. Cuando finalmente la alzaron lo suficiente, presas de la
más grande emoción, arqueólogos y trabajadores constataron que en
el enorme bloque debajo de la losa había tallada una extraña cavidad,
un hueco alargado y curvo, en forma de pez o de útero, sellado con
otra losa, perfectamente pulida y adaptada a la forma del hueco,
con cuatro agujeros en las esquinas con sus correspondientes tapones
de piedra. "Una vez que el espacio abierto tuvo la altura necesaria
—cuenta Ruz—, me deslicé debajo de la lápida, y quitando dos de
los tapones que cubrían los agujeros proyecté la luz de una linterna
por uno de ellos y por el otro pude ver a unos pocos centímetros ¡un
esqueleto humano cubierto por piezas de jadeíta! Se trataba, pues,
de un entierro". ¡Acababa de descubrir lo que tal vez constituya el
hallazgo arqueológico más importante en la historia de México!

El arqueólogo hizo pasar sogas por los agujeros y, colocando un palo
entre las sogas para tirar de ellas, se procedió a destapar el sepulcro.
Apareció entonces su contenido impresionante: rodeado de un vivo color
rojo, porque las paredes de la cavidad estaban cubiertas con cinabrio, yacía
un esqueleto, de espaldas, también enrojecido por el cinabrio, con los
brazos y las piernas extendidos. El personaje había sido enterrado con sus
joyas. Tenía en la boca una cuenta de jadeíta, que debía permitirle alimen-
tarse en el otro mundo, según creían los antiguos mesoamericanos. Sobre
la frente lucía una diadema hecha de pequeños discos de jadeíta, orejeras
formadas por varias piezas; sobre el pecho, numerosas cuentas desperdi-
gadas, claramente los restos de un pectoral
o de varios collares, brazaletes en ambos
brazos y, en cada dedo de las dos manos, un
anillo. En la mano derecha el personaje tenía
una pieza de jadeíta de forma cúbica, y en la
izquierda una de forma esférica. A sus pies
estaba una figura de jadeíta que Ruz identi-
ficó como una representación del dios Sol.
Las joyas fueron catalogadas y enviadas al
Museo Nacional, en la Ciudad de México.

El esqueleto de Pakal estaba totalmente cubierto de cinabrio; los mayas
asociaban su color rojo con el oriente,
el lugar por donde renace el sol cada
mañana pues, como otros pueblos de
la antigüedad, identificaban al rey con
el sol, símbolo de su inmortalidad.

En el momento de su entierro, además, el personaje portaba una máscara hecha de estuco y recubierta con más de 300 piezas de jadeíta, concha y obsidiana. Con los años la máscara se destruyó, pero gracias a las fotografías tomadas y a los dibujos hechos en el momento del descubrimiento, fue posible rehacerla. Entonces pudieron contemplarse, un milenio después de su muerte, los rasgos del gran Pakal.

El ajuar funerario de Pakal y una reproducción de su tumba estuvieron exhibidos durante varios años en el antiguo Museo Nacional de la calle de Moneda, en el centro de la Ciudad de México. En 1964, las piezas fueron trasladadas a la Sala Maya del flamante Museo Nacional de Antropología, en el bosque de Chapultepec.

Algunos historiadores piensan que hacia mediados del siglo VIII, época en que la ciudad de Palenque comenzaba a dar signos de debilidad, sus habitantes decidieron clausurar con toneladas de escombro el acceso a la cámara mortuoria, que permanecía abierta seguramente para la celebración de ritos y ceremonias religiosas. Alguna amenaza se debe haber cernido sobre la tumba, quizá en peligro de ser profanada. Antes de cerrarla definitivamente, los palencanos construyeron lo que los arqueólogos llaman un psicoducto, un conducto para el alma, es decir, una vía de comunicación sobrenatural entre el rey divinizado y sus descendientes. Se trata de un canal excavado en la piedra que, corriendo debajo del piso desde el interior del templo, desciende por los peldaños de la escalinata, penetra en la cámara mortuoria y termina debajo del sarcófago, donde remata en una cabeza de serpiente modelada en estuco. Frente a la cabeza de serpiente del psicoducto, Ruz Lhuillier encontró dos cabezas también modeladas en estuco. Se cree que una de ellas es un retrato de Pakal, representado como Dios del Maíz, en tanto que la otra figura a su esposa, Ix Tzak-bu Ajau, aunque algunos consideran que se trata del propio Pakal joven.

¿A qué edad murió Pakal?

Los primeros estudios que se hicieron de los huesos y la dentadura de Pakal, inmediatamente después del descubrimiento de la tumba, determinaron que se trataba de un hombre más bien alto y delgado, de manos muy finas, que al morir tendría 45 o 50 años. Estudios posteriores parecieron corroborar esta información: el hombre había muerto en su madurez, no había sido tan alto como se creyó en un principio, y en general había gozado de buena salud. Sin embargo, cuando en la década de 1970 comenzaron a descifrarse los glifos del Templo de las Inscripciones, que registran los años 603 y 683 como fechas de nacimiento y muerte del rey, fue claro que Pakal en realidad tenía 80 años cuando murió. ¿Cómo podía explicarse este desacuerdo? Se desató una polémica entre los especialistas, que aún no ha concluido. Los epigrafistas, basados en el estudio de los glifos, sostienen que Pakal murió octogenario. Los antropólogos físicos, que estudiaron los huesos, afirman que si acaso había cumplido los 50. ¿Quién tenía razón? Estudios más recientes, realizados a la osamenta con tecnologías de vanguardia, arrojaron datos que mostraron que los restos pertenecían a un hombre que había muerto a una edad avanzada, más de 60 años, sin poder precisar exactamente su edad, y que había padecido osteoporosis y artritis. Se sabe ahora que los mayas modificaban algunas fechas de nacimiento y muerte de sus gobernantes para hacerlas coincidir con acontecimientos mitológicos o astronómicos relevantes. Es muy posible que en el caso de Pakal hayan alterado sus datos biográficos, lo cual explicaría, en parte, la discrepancia en las fechas.

¿Por qué su tumba se llamó "La Casa de los Nueve Acompañantes"?

En las paredes de la cámara funeraria están representados nueve personajes modelados en estuco a los que se ha identificado con los Nueve Señores de la Noche, o Bolontikú, deidades subterráneas que debían guiar al gobernante en su viaje a través de la muerte.

La lápida funeraria

Según el pensamiento religioso de los antiguos mayas, el universo está formado por tres planos verticales: el superior o celeste, constituido por trece cielos; el intermedio o terrestre, y el subterráneo o inframundo, llamado Xibalbá, conformado por nueve niveles. En la lápida del sarcófago de Pakal está representada una síntesis simbólica de esta visión cósmica. En la cara superior, maravillosamente labrada en la piedra caliza, vemos la imagen del rey como un hombre joven situado en el centro del mundo (el plano terrestre), con la postura de un recién nacido que parece caer en las fauces descarnadas de la monstruosa deidad de la tierra y la muerte (el mundo subterráneo). Sobre su cuerpo se levanta un árbol fantástico en forma de cruz que divide los cuatro rumbos del cosmos. Una serpiente de dos cabezas cruza los brazos del árbol. De la mandíbula de la cabeza izquierda emerge el dios Kawil y de la de la derecha el dios Hu'unal; ambos parecen acompañar a Pakal en su recorrido por los diferentes planos del cosmos. En la cima del árbol se encuentra el dios supremo de los mayas, Itzamnaaj, el sol en el cenit (el plano superior), representado como un quetzal.

La franja que rodea esta escena está decorada con glifos que simbolizan a Venus, Marte, la Luna y el Sol, y signos que figuran el día y la obscuridad. La franja en su totalidad representa a la Vía Láctea, el gran dragón celeste que surca el cielo nocturno, según la mitología maya.

El robo

La madrugada del 25 de diciembre de 1985, aprovechando que los guardias festejaban la Nochebuena y que no existía un sistema de alarmas antirrobo, dos hombres entraron al Museo Nacional de Antropología y se robaron, junto con otras 144 joyas arqueológicas de enorme valor, la máscara funeraria, collares, anillos, pulseras y otros objetos de jadeíta de la tumba de Pakal. Los ladrones lograron abrir las vitrinas donde se exhibían las piezas, ocultaron el botín en varias bolsas y salieron sin dejar rastro. Durante mucho tiempo no se supo nada de ellos. La pérdida era inmensa. Alguien dijo que México había perdido las "joyas de la familia". Cuatro años después, las autoridades pudieron recuperar, en una casa de Naucalpan, Estado de México, casi la totalidad de las piezas robadas. Afortunadamente, ninguno de los valiosísimos objetos había sufrido daños graves. Las piezas recobradas volvieron al Museo, donde desde entonces pueden ser otra vez admiradas.

Cronología

De Pakal

583 Sube al trono de Palenque la señora Yohl Ik'nal, bisabuela de Pakal.

603 Nace, probablemente en el exilio, el príncipe Pakal II, que será llamado el Grande.

612 El señorío de Kan (actualmente Calakmul) ataca la ciudad de Palenque y acaba con la vida del rey. La señora Sak Kuk, sobrina del rey asesinado y madre de Pakal, asciende al trono.

615 Kinich Janab Pakal es coronado rey de Palenque.

626 Llega a Palenque la joven Ix Tzak-bu Ajau para contraer matrimonio con Pakal.

633 Pakal restablece las ceremonias en honor de los dioses patronos de Palenque.

635 Nace Kan Balam, primogénito de Pakal y de su esposa.

640 Muere la señora Sak Kuk.

641 Kan Balam es nombrado heredero del trono de Palenque.

643 Muere Kan Mo' Hix, padre de Pakal.

644 Sube al trono de Tortuguero Balam Ajau y ataca varias ciudades aliadas de Palenque, entre ellas la población de donde era originaria Ix Tzak-bu Ajau, la mujer de Pakal.

647 Pakal dedica a los dioses su primer templo.

654 Pakal consagra la Casa E del Palacio de Palenque.

655 Balam Ajau, señor de Tortuguero, ordena un nuevo ataque contra la población natal de la esposa de Pakal.

659 Pakal inicia una guerra contra las ciudades aliadas de Kan-Calakmul.

675 Se inicia la construcción del Templo de las Inscripciones.

683 Muere en Palenque Kinich Janab Pakal II, el Grande.

Del resto del mundo

590 San Gregorio Magno, de la orden benedictina, creador del canto gregoriano, es elegido papa.

c. 600 Se inventa en India el juego de ajedrez. En China, el monje de origen hindú, Bodhidarma, funda el budismo Zen. Surge al antiguo reino de Ghana, el primer estado conocido de África occidental. La ciudad de Tiahuanaco, a orillas del lago Titicaca, en Bolivia, cuenta con una población de 35,000 habitantes.

604 Se inician los exámenes de ingreso al servicio burocrático chino.

611 Los persas acosan al imperio bizantino.

613 Mahoma predica en la Meca la igualdad de todos los creyentes ante Alá.

614 El reino de los francos es gobernado por Clotario II.

615 En China sube al poder la dinastía Tang.

618 La dinastía Tang unifica China.

621 Los godos dominan en España.

622 La Hégira, salida de Mahoma de la Meca; comienza la era musulmana. Muere el príncipe japonés Shokotu, que estableció los principios básicos para eliminar los privilegios de la alta burocracia. Abu Beker, primer califa, inicia la gran expansión del imperio islámico.

632 Mahoma escribe el Corán, libro sagrado del islam.

634 Omar hereda el califato islámico, se hace proclamar "Príncipe de los creyentes" e invade Palestina.

636 Muere san Isidoro, arzobispo de Sevilla, una de las inteligencias más brillantes de la Alta Edad Media.

637 Los ejércitos árabes devastan Siria e Irak.

640 Los árabes musulmanes penetran en Egipto y en el norte de África.

642 El budismo llega al Tibet.

c. 650 Comienza el declive de Teotihuacan.

654 En España da inicio la redacción del primer intento de síntesis del derecho romano y las costumbres germánicas en su territorio.

661 El califato Omeya llega al poder en Damasco.

674 Los árabes atacan la ciudad de Constantinopla.

680 Los búlgaros invaden los Balcanes. Se desarrolla la cultura de Xochicalco.

c. 680 Caedmon, poeta lírico de la antigua Inglaterra, inicia su obra literaria.

Bibliografía mínima

Bernal Romero, Guillermo, "K'inich Janahb' Pakal II (Resplandeciente Escudo Ave-Janahb') (603-683 d. C.)", en *Arqueología Mexicana*, vol. XIX, núm. 110, julio-agosto 2011, pp. 40-45.

—, "Historia dinástica de Palenque: la era de K'inich Janahb' Pakal (615-683 d. C.)", en *Revista Digital Universitaria*, disponible en http://www.revista.unam.mx/vol.13/num12/art117/art117.pdf

Canal 22. "En busca de un rostro: K'inich Janaab' Pakal", 13 de enero de 2015, disponible en https://www.youtube.com/watch?v=k6Z5cMxo2QA

Cuevas García, Martha, "Los tesoros de Palenque", en *Arqueología Mexicana, edición especial*, núm. 8, 2001, pp. 30-86.

De la Garza, Mercedes, *Rostros de lo sagrado en el mundo maya*, Paidós/UNAM, México, 1988.

—, "La tríada de Palenque", en *Arqueología Mexicana*, vol. I, núm. 2, junio-julio 1993, pp. 25-30.

—, "Palenque como *imago mundi* y su presencia en Itzamná", en *Estudios de Cultura Maya*, UNAM, vol. XXX, 2007, pp. 15-36.

González Cruz, Arnoldo, "El Templo de las Inscripciones", en *Arqueología Mexicana*, vol. V, núm. 30, marzo-abril 1998, pp. 58-61.

—, *La Reina Roja, una tumba real de Palenque*, INAH, CONACULTA/Turner, México, 2011.

Instituto Nacional de Antropología, "50 años del descubrimiento de la tumba del rey Pakal", 8 de octubre de 2009, disponible en https://www.youtube.com/watch?v=ibUzZyby004

—, "Tumba de Pakal en el Museo Nacional de Antropología", 1 de abril de 2009, disponible en https://www.youtube.com/watch?v=tT8ID3VjzzU

Martínez del Campo Lanz, Sofía, "K'inich Janaab' Pakal, dios del maíz y árbol del mundo", en *Arqueología Mexicana*, vol. XVII, núm. 102, marzo-abril 2010, pp. 24-29.

Pérez Suárez, Tomás, "Dioses mayas", en *Arqueología Mexicana*, vol. XV, núm. 88, noviembre-diciembre 2007, pp. 57-65.

Robles Castellanos, Fernando José, *Arquitectura e ideología de los antiguos mayas. Memoria de la Segunda Mesa Redonda de Palenque*, INAH, México, 2000.

Ruz Lhuillier, Alberto, *La civilización de los antiguos mayas*, Fondo de Cultura Económica de España, 2003.

—, *El Templo de las Inscripciones de Palenque*, Colección Científica, vol. 7, INAH, México, 1973.

—, *El pueblo maya*, Salvat Mexicana de Ediciones, México, 1981.

Schele, Linda y David Freidel, *Una selva de reyes: La asombrosa historia de los antiguos mayas*, Fondo de Cultura Económica, México, 2000.

Schmidt, Peter, Mercedes de la Garza y Enrique Nalda (comps.), *Los mayas*, INAH-CONACULTA/Américo Arte Editores, México, 1998.

Tiesler, Vera y Andrea Cucina (eds.), *Janaab' Pakal de Palenque: Vida y muerte de un gobernante maya*, UNAM/Universidad Autónoma de Yucatán, México, 2004.